Hans-Karl Ulrich gewidmet

Drei finnische Volkslieder   Kolme kansanlaulua
3. Der Spielmann - Pelimanni

Tatu Pekkarinen   *Deutsch von Mikko Heiniö*

MIKKO HEINIÖ, op. 28 n:o 3

© 1979 Edition Fazer, Helsinki

© Fennica Gehrman Oy, Helsinki

4

Ha- li-tu-li Hal- len, Sin - gen und Schallen, die gel - len-de Pol- ka den Takt mir gab.
Ha-li-tu-li jal - laa, *tämä poi-ka ral-laa* *rä-mä-käl-lä pol-kan* *ta -hil - la.*

Ha   hal – – – – – – len,
Jaa   *jal – – – – – – – laa,*

6

10

Gei-ge so wimmerte:"Ui-ja-ui", auch Flöte da glimmerte:"Fluija-flui".Der Bogen muss schwingen
Viu-lul-la ve-te-li se hai-tan-tai-jaa, hui-lulla lui - ti ai-jaa-ai-jaa. Jou-si se liik-kui

Ui - ja - ui - ja, flui - ja, flui - ja. Hop - sen
Hai - tan - tai-jaa, ai - jaa, ai - ja. Sou - si

Flui - ja, flui - ja
Hai - tan - tai - ja

Gei-ge so wimmerte:"Ui-ja-ui", auch Flöte da glimmerte:"Fluija-flui".Der Bogen muss schwingen
Viu-lul-la ve-te-li se hai-tan-tai-jaa, hui-lulla luit-ti ai-jaa-ai-jaa. Jou-si se liik-kui

Ui - ja - ui - ja, flui - ja, flui - ja. Hop - sen
Hai - tan - tai-jaa, ai - jaa, ai - ja. Sou - si

Flui - ja, flui - ja
Hai - tan - tai - ja

14

16

18

Sau, die an sei-ner Sei-te so glück-lich schlief. Der Spiel-mann jetzt jammerte:
kie-roon, kun i-so si-ka vie-res-sä röt-köt-ti. Ja pe-li-man-ni voi-vot-ti

Sau, die an sei-ner Sei-te so glück-lich schlief.Der Spiel-mann jetzt jammerte:
kie-roon, kun i-so si-ka vie-res-sä röt-köt-ti. Ja pe-li-man-ni voi-vot-ti

m_____ m_____ o - u o - u

m_____ m_____ o - u o - u

22

24

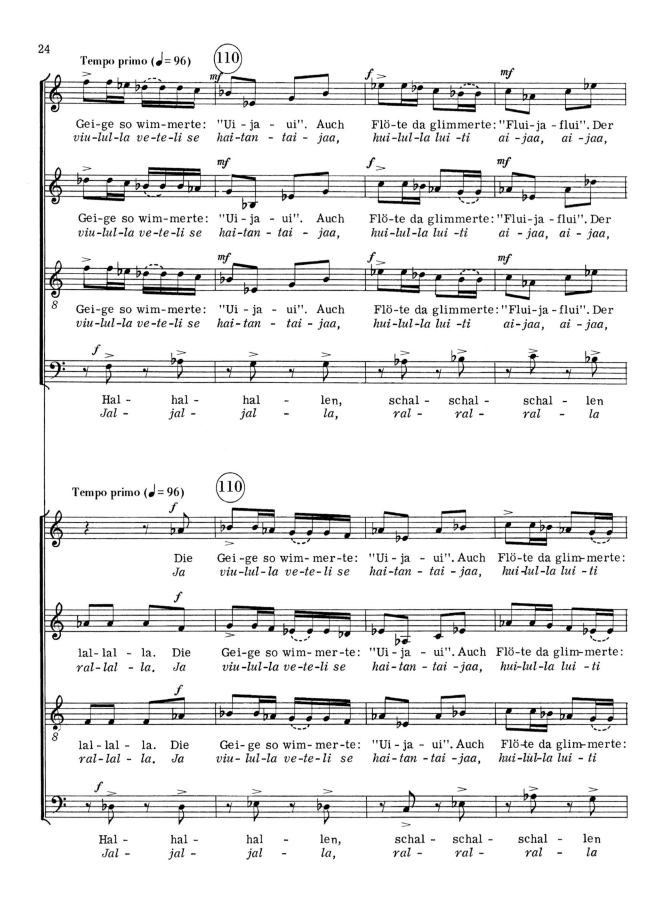